*Para minha babá — Edna May Kenney,
que dedicou sua vida a bebês de outras pessoas.*

© 1993 da edição original por Aladdin Books Ltd, London
© do texto por Ann Rachlin/Fun with Music
© das ilustrações por Susan Hellard
Título original em inglês: *Famous Children Tchaikovsky*
Tradução autorizada por Aladdin Books Ltd
Primeira edição feita na Grã-Bretanha, 1993, por Victor Gollancz
Callis Editora Ltda.
Todos os direitos reservados.
2ª edição, 2016
1ª reimpressão, 2019

TEXTO ADEQUADO ÀS REGRAS DO NOVO ACORDO ORTOGRÁFICO DA LÍNGUA PORTUGUESA

Coordenação editorial: Miriam Gabbai
Editora assistente: Áine Menassi
Tradução e adaptação do original: Helena B. Gomes Klimes
Escaneamento e tratamento das imagens: Márcio Uva
Diagramação: Carlos Magno

CIP-BRASIL. CATALOGAÇÃO-NA-FONTE
SINDICATO NACIONAL DOS EDITORES DE LIVROS, RJ

R118t
2.ed.

Rachlin, Ann

    Tchaikovsky / Ann Rachlin ; ilustração Susan Hellard ; [tradução e adaptação do original: Helena B. Gomes Klimes]. - 2. ed. - São Paulo : Callis, 2016.
    24 p. : il. ; 21 cm.

Tradução de: *Famous children Tchaikovsky*
ISBN 978-85-7416-465-6

    1. Tchaikovski, Piotr Ilitch, 1840-1893 - Infância e juventude - Literatura infantojuvenil. 2. Compositores - Rússia - Biografia - Literatura infantojuvenil. I. Hellard, Susan. II. Klimes, Helena B. Gomes. III. Título.

16-37108   CDD: 927.8168
                                                CDU: 929:78.067.26

17/10/2016   19/10/2016

ISBN: 978-85-7416-465-6

Impresso no Brasil

2019
Callis Editora Ltda.
Rua Oscar Freire, 379, 6º andar • 01426-001 • São Paulo • SP
Tel.: (11) 3068-5600 • Fax: (11) 3088-3133
www.callis.com.br • vendas@callis.com.br

Crianças Famosas

Tchaikovsky

Ann Rachlin e Susan Hellard

Tradução: Helena B. Gomes Klimes

callis

— Adeus, mamãe! Adeus, Nikolai! Voltem logo!

Piotr e sua irmã Sasha acenavam enquanto a carruagem seguia pela rua. Piotr tinha os olhos cheios de lágrimas.

— Quando ela voltará? — perguntou a seu pai.

— Não fique triste, Piotr, mamãe não demorará. Ela foi com Nikolai a São Petersburgo procurar uma governanta para vocês.

Sasha parecia já ter se esquecido da ausência de sua mãe, mas Piotr, não. De repente ele exclamou:

— Tive uma grande ideia, Sasha! Vamos fazer uma música para a mamãe. Poderemos cantá-la quando ela voltar. O que você acha disso? — e começou a cantarolar...

— Vamos chamá-la de "Nossa mãe em São Petersburgo"!

— Eles chegaram!

O som das rodas da carruagem trouxe todos para fora de casa. Piotr pulou no colo de sua mãe que o beijou carinhosamente.

— Esta é Fanny, nossa nova governanta — disse a senhora Tchaikovsky a seu marido.

— Muito prazer em conhecê--la, Fanny. Espero que seja muito feliz conosco — disse gentilmente o senhor Tchaikovsky.

Na manhã seguinte, Fanny começou a ensinar as crianças mais velhas, Nikolai e sua prima Lydia. Fanny era uma boa professora e suas aulas eram muito divertidas.

— Por que não posso ter aulas? — resmungava Piotr.

— Porque você é ainda muito criança, Piotr.

Mas Piotr não desistia. Todas as manhãs, vinha à sala de aula de Fanny, até que um dia ela concordou.

— Está bem, Piotr. Venha assistir às minhas aulas...

Piotr adorava Fanny e prestava muita atenção às suas aulas. Logo ele podia ler e escrever melhor que seu irmão mais velho. Mas Piotr tinha um problema... Estava sempre desarrumado. Nunca amarrava seus sapatos, sua camisa estava sempre para fora da calça e suas mãos estavam sempre meladas.

— Olhe para você, Piotr — dizia Fanny enquanto tentava arrumá-lo. — Você está horrível!

Piotr estava sozinho no quarto de brinquedos, da janela podia ver a neve espessa que cobria o chão.

"Pocotó, pocotó, pocotó, pocotó." O barulho dos cascos dos cavalos batendo no chão soava como música para Piotr. Ele marcava o ritmo batendo com a mão no vidro. Quanto mais alto ele ouvia, mais forte ele batia. De repente o vidro se quebrou e sua mão atravessou a janela. Assustado, Piotr gritou.

Fanny e a senhora Tchaikovsky lavaram muito bem a mão de Piotr e a enfaixaram.

— Por que quebrou a vidraça, Piotr? — perguntou sua mãe.

— Foi a música dos cavalos, mamãe.

— Cavalos! Que cavalos? — perguntou Fanny. — Não há nenhuma marca de ferradura sobre a neve, Piotr.

— Meu filho — disse a senhora Tchaikovsky —, quero que você tenha aulas de piano. Assim, da próxima vez que você ouvir a "música dos cavalos", poderá tocá-la ao piano.

Naquela noite, os adultos dançaram muito ao som da música do senhor Tchaikovsky. Quando ele trocava as partituras, Piotr corria para seu piano e tirava as melodias de ouvido. Mais tarde, Fanny ouvia Piotr chorando.

— Fanny, esta música não me deixa dormir...

— Mas não há mais nenhuma música, Piotr.

— A música está aqui — disse Piotr apontando para sua própria cabeça.

Era difícil explicar, mas aquela música não parava de tocar dentro da cabeça de Piotr.

O senhor Tchaikovsky arrumou um novo emprego, e toda a família estava de mudança para Moscou. Fanny não poderia ir com eles. Ela deu um beijo de despedida nas crianças enquanto ainda dormiam. Quando Piotr acordou e percebeu que Fanny havia partido, chorou muito. Tentou escrever-lhe uma carta, mas suas lágrimas eram tantas que borravam todo o papel. Piotr teve de começar mais uma vez.

Quando chegaram a Moscou, souberam que alguém já havia pegado o novo trabalho do senhor Tchaikovsky.

— Vamos para São Petersburgo — disse a senhora Tchaikovsky. — Lá, Nikolai e Piotr poderão ir à Escola Schmelling.

Piotr não gostava daquela escola. Havia muita lição de casa. Até que um dia, viva! Piotr acordou cheio de pintinhas vermelhas. Estava com catapora! Não poderia ir à escola, pois catapora não é brincadeira...

Piotr teve de ficar de cama por um bom tempo. Sua mãe encontrou uma nova governanta, que lhe daria aulas e lhe faria companhia. Seu nome era Anastácia, mas, apesar de ser muito simpática e dedicada, Piotr não conseguia esquecer Fanny. Um dia, a senhora Tchaikovsky escreveu a Fanny:

"Querida Fanny, apesar de estar satisfeita com Anastácia, para as crianças não é o mesmo que estar com você, especialmente Piotr. Ele está manhoso e chora toda vez que é contrariado. Espero que ele supere isso antes de ir para o internato."

Internato! Sempre que pensava nisso Piotr tremia de medo e corria para o piano. "Era uma criança muito sensível e meiga, como se fosse feita de porcelana", dizia sempre Fanny.

"Estou sempre ao piano", escreveu ele a Fanny. "Isso me alegra quando estou triste."

Em setembro de 1850, quanto tinha dez anos, Piotr começou seu curso preparatório para a Escola de Jurisprudência, em São Petersburgo. Ele se sentia muito só sem Nikolai, que fora enviado para outra escola. Sua família não morava mais em São Petersburgo, mas a senhora Tchaikovsky ficou lá até vê-lo instalado.

Piotr agarrou a mão de sua mãe. Algumas lágrimas correram por suas bochechas, mas ele estava calmo. Eles estavam a caminho da Central Turnipike, onde a senhora Tchaikovsky iria pegar a carruagem para voltar para casa. Seu amigo, o senhor Keiser, trouxe suas duas crianças para fazerem companhia a Piotr no caminho de volta à escola.

— Seja corajoso, Piotr! — disse a senhora Tchaikovsky ao dar-lhe um beijo de despedida.

Piotr começou a chorar e se agarrou a sua mãe.

— Não chore, meu querido. Logo estarei de volta.

Mas Piotr não conseguia para de chorar.

Os cavalos começaram a trotar. Com um grito de desespero Piotr se livrou do senhor Keiser e correu atrás da carruagem. Agarrou-se ao estribo, mas escorregou na rua molhada e caiu de cara no chão.

— Não vá! Não vá! — gritava.

O senhor Keiser levantou-o e tentou consolá-lo. Machucado e todo sujo de lama, Piotr Tchaikovsky soluçava enquanto via a carruagem que levava sua mãe desaparecer pela rua.

Os professores da nova escola eram gentis com Piotr. O senhor Berrard, seu professor de francês, até o levou ao baile da corte. Lá Piotr viu o Tsar. "Ele estava tão perto de mim quanto o sofá está perto da escrivaninha no escritório de papai", escreveu a seus pais. Piotr sentia falta deles. Eles sempre prometiam vir visitá-lo, mas algo sempre os impedia.

"Se os meus queridos anjos não vierem me ver", ele escrevia, "me sentirei muito só."

Era domingo e, em vez de ir visitar Nikolai, Piotr teve de estudar. Foi até o jardim pegar os livros que escondia dentro de uma linda árvore oca.

"Não é justo" pensava, "eu estava em terceiro lugar nos exames de fevereiro, tenho certeza de que irei bem nos de junho também."

Piotr estava certo. Passou nos exames e foi para uma grande escola de jurisprudência. Seus pais queriam que ele se tornasse um advogado. Os meninos da nova escola gostavam muito de Piotr, especialmente quando ele tocava piano para eles dançarem. Um dia, os meninos fizeram tanto barulho que o professor Berrard, que ficava na sala ao lado, abriu furioso a porta. Os meninos saíram correndo. Piotr aguentou firme e se recusou a dar o nome dos outros. Levou a bronca sozinho. Mas Piotr Tchaikovsky não se importava mais de ficar sozinho, ele sempre tinha a música para alegrá-lo.

Piotr tinha uma mania engraçada. Ele adorava mastigar papéis. Um dia, distraidamente, ele mastigou um documento muito importante. Depois disso, ele decidiu se tornar um músico, e não um advogado. Piotr Tchaikovsky escreveu dez óperas, seis sinfonias, quatro concertos e a música de três balés famosos:

O Lago dos Cisnes

A Bela Adormecida

O Quebra-nozes

Ann Rachlin é uma educadora de música internacionalmente conhecida. Também é escritora, contadora de histórias, letrista, palestrante e fundadora da instituição de caridade The Beethoven Fund, para crianças surdas. Ann atuou em inúmeros festivais internacionais de música e contribuiu com grandes orquestras sinfônicas no Reino Unido, nos EUA e na Austrália.

Susan Hellard é uma hábil ilustradora com uma longa lista de livros para crianças. Mora em Londres e adora nadar. Possui um estilo de ilustração bem diversificado, abrangendo desde princesas até livros de receitas e projetos de cerâmica.